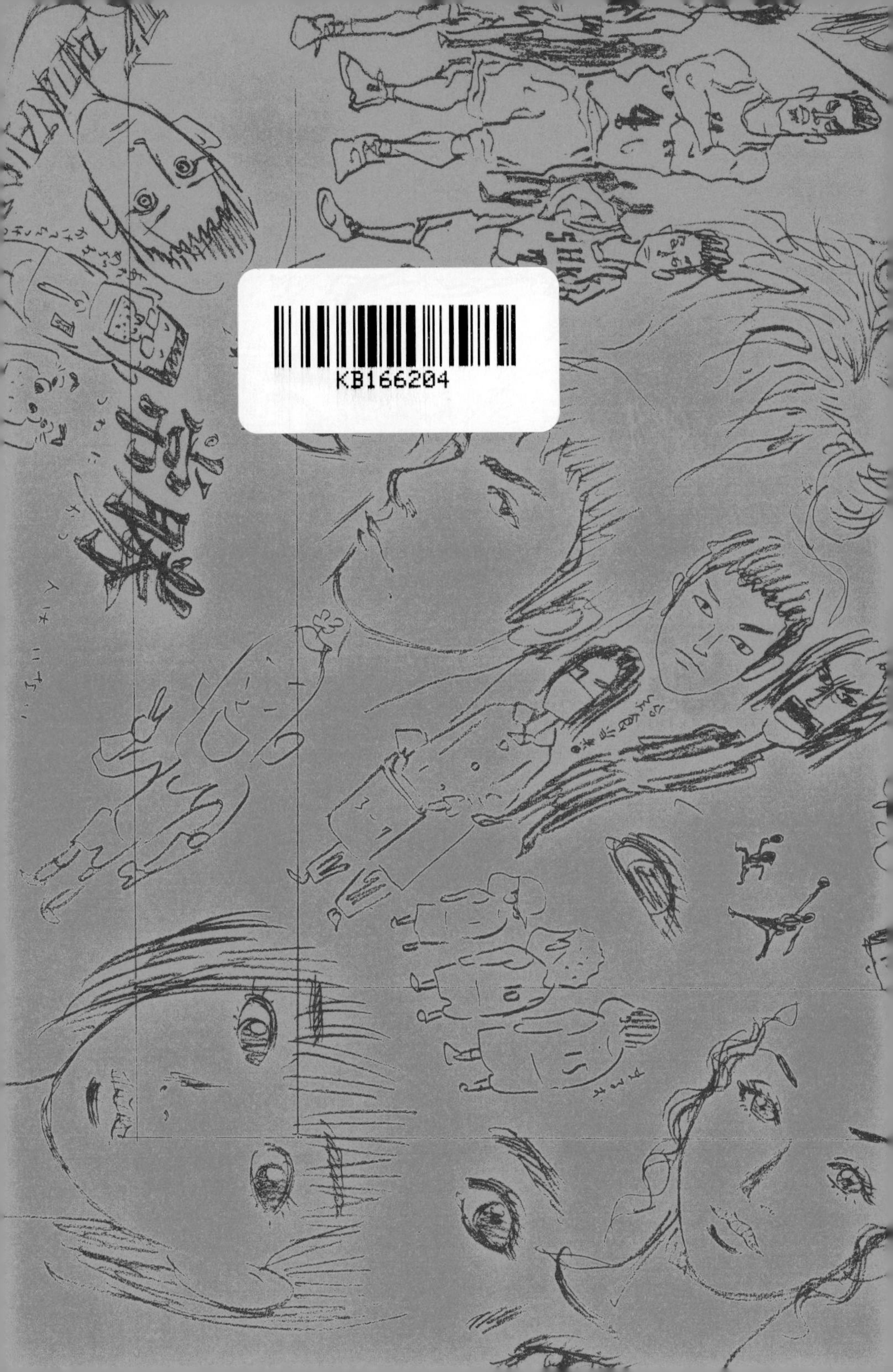
KB166204

● CONTENTS ●

CONTENTS

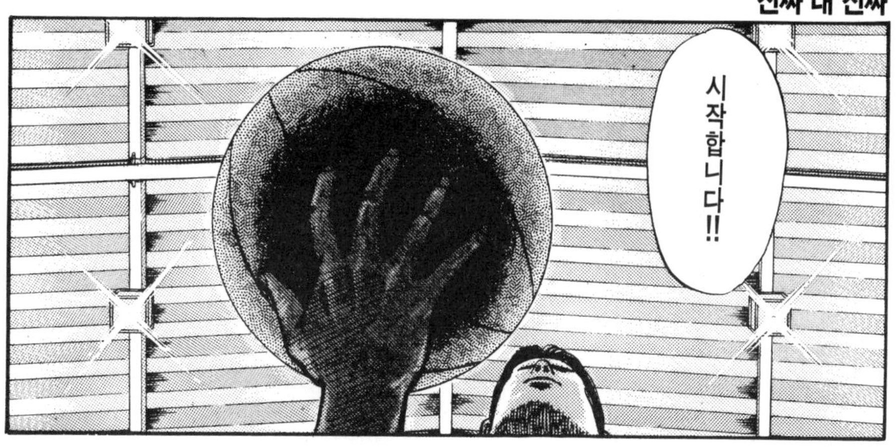
시작합니다!!

그래!
낙
낙

하앗!
23
33
9
12
5
9
#12 진짜 대 진짜

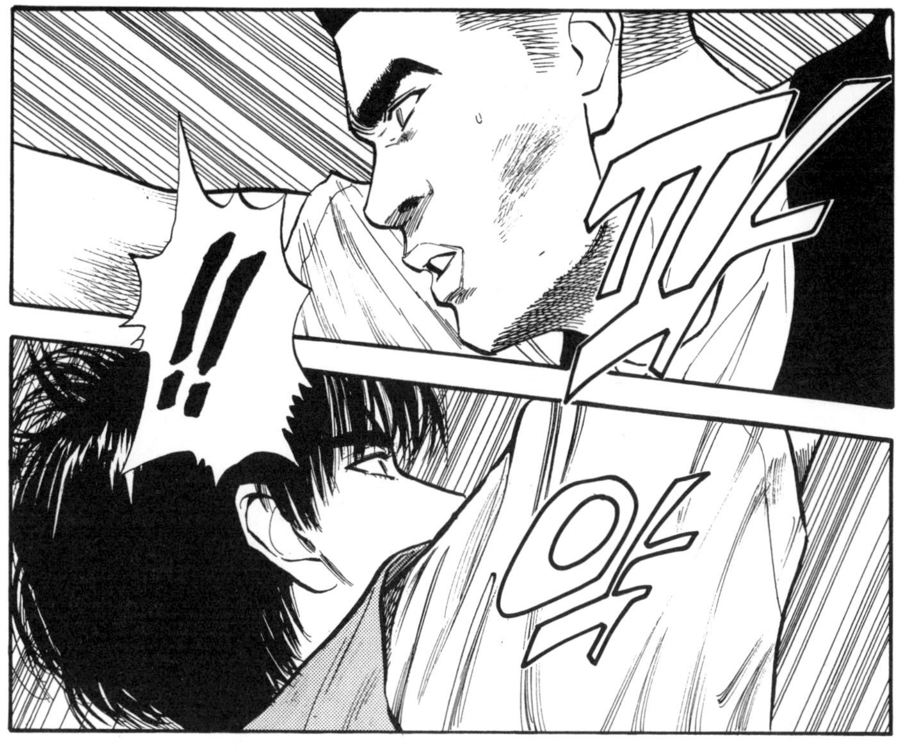
!!
꽈
악

어서 공을 잡아!!

주장과 대등하게 맞설 수 있다니!!
과연 태웅이야….

서태웅은 이길 거라고 생각한 모양인데?

……

흥!
건방진
놈!
고릴라 주장은
이 천재 바스켓맨인
강백호도 애먹은
상대란 말이다.
뭐 조금이긴 하지만….
네깟 놈이
이길 수
있을 리 없지,
아암!!

가만
있자,
난
고릴라한테
이겼지?
그렇
다면….

고릴라가
서태웅한테
이기면.
그 고릴라를
이긴 나는
당연히….

서태웅보다
한수
위!

이겼다
~!
봤느냐,
서태웅
!!
내
실력을!
나한테
이기려면
10년 후에
와라!
서태웅!!
봤느냐!!
패자는
다만
물러갈
뿐….
쿵
쿵
쿵
태웅아
….

앗!
오빠가
태웅이를
이겼어!
반짝
그렇다면….

오빠한테
이긴
강백호는,
서태웅보다
위라는…!!

헤에에
백호야…♡
…라는 말이 되겠구나. 헤헤….
헤헤…
탁
꿈 깨시지!
어엇?!
응?

인터셉트!
타악

서태웅!
저 녀석이!!

젠장…!!
척
삐익

5번 푸싱!
1학년 볼!!
아뿔싸…!!
……
서태웅의 수비가 좋아졌네….
어쩌다 그런 거예요.

아아…, 어쩐지 복잡하다.
……

으~음….
오빠가 지는 건 싫고….

태웅이가 이기면 좋겠지만,

……
역시!
서태웅도 잘하지만, 그건 어디까지나 중학수준이지.
고교에 올라가자마자 이긴다면 말도 안돼.

하지만 1학년이 이기는 일은 없을 거야.
역시?!
!!

그건 모르죠, 한나 언니!
최근엔 중학 레벨도 높아졌다구요!
소연아….

예술이라고까지
표현된 '스카이 훅'을
무기로 20년동안
NBA의 톱에
군림해온 그를
사람들은
'살아있는 전설'
이라 불렀다.
카림 압둘 자바
(전LA레이커스·218cm)
농구를 해본 사람이라면
한번은 이 이름을
들었을 것이다.

있잖아요,
K·A·자바라는
사람의 이야기….
1학년때
상급생한테
이겼다는….
어머?
잘 알고
있구나,
소연아!
책에서
봤어요.

그가 UCLA 1학년때
그가 이끄는
1학년팀이 UCLA의
1군에게 이겼다는 애기는
지금도 화제거리로
남아있다.
게다가 덧붙여 말하면
UCLA 1군하면
전년도 전미 NO.1의
팀이었던 것이다.
그야말로
'살아있는 전설'!!
Dr. T 바스켓볼 잡학입문
※UCLA=대학의 이름

하지만
서태웅은
압둘 자바가
아니거든?
하지만
북산고교도
UCLA가
아니거든요.
……
윽
UCLA는
아니지만,
채치수
선배잖아?
북산엔
채치수 선배가
있거든.
채치수 선배한테
서태웅 따위가
이길 리가 없거든.
따위라고?
발끈

어째서
서태웅이
오빠
따위한테
못 이긴다는
거죠?
……
오빠는 요전에
강백호
따위한테
졌는데 말예요.
그런 오빠한테
태웅이가
정말
질까요?
……

어떻게
자기 오빠를
그렇게 말할 수
있지?
치수 선배님이
가엾다, 얘.

언니야말로
태웅이의
중학교
선배잖아요?
고등학교에 갓 올라와서,
불안과 긴장으로 꽉찬
1학년한테 그런 식으로
차갑게 말하는 건
나쁠 것 같은데요?

불안과 긴장?!
그 녀석한테 그런 게 있을 것 같니?!
녀석은 결승전때도 늦잠자고 지각하는 녀석인걸.

배짱이 두둑한 게 아니고,
신경이 둔한 거야.
게다가 표정도 없고!
히히힛
그래, 그래!
불안이나 긴장같은 게 녀석의 어디에 있다는 거니? 아하하하…!

으아아아악—!!
이젠 못 참아—!!
부글부글
아니?!
소연아—!!
아무리 언니라도 용서할 수 없어!
나— 정말 화났다구요!
아하하~ 농담이야, 소연아. 너 강백호를 닮아가는구나.
난폭한 게….

조금 장난친 것 뿐이야. 네 반응이 재미있어서.
너 참 순진하구나.
쓱 쓱
예 …?!

음~ 귀여운 녀석.
쪽 쪽
하… 한나 언니!
!!

이제 치수 선배와 태웅이는 같은 팀의 멤버가 될테니, 좋지 않니?
북산고는 틀림없이 세질 거야.
……
깔 깔
깍쟁이. 너무했어.

뭣들 하고 있는 거야? 저 녀석들!
나처럼 긴장하고 있었는데…
……

좋아! 정신차리고 다시 한다!
예엣!

처억

!!

엇! 서태웅한테 볼이 가니까 2, 3학년의 눈빛이 달라졌다.
……

……

오너라, 서태웅!

내가 막아주지!!

고등학교는 중학교하곤 달라!

덤벼라!

탕
탕
탕

…………

으… 선배들. 기합이 들어 있잖아.
움찔 움찔

내 거야!

!!
!
와앗!
으와~!

내가
막아주지!

아니!

휘이그!!
이런!

당했구나—!!

이얍ㅡ!!
!!

파리채
블로킹!
!!

!!
나이스,
채치수!
속공!!
팍
우와!
우와…!
다다다다다다다
치수야!
끝장
내버려!
툭
우와아아아아!!

아아

우와아아아
우와-! 나왔다!
고릴라 덩크-!!
쿠
!!
아뿔싸!!
부원들은 이것을 고릴라 덩크라고 불렀지만, 채치수 앞에서는 결코 입밖에 내서는 안되는 것이었다.
누가 고릴라야…

굉장하다!
역시 치수 선배야!

음~
멋진 플레이군요.

……
굉장하다…

……
저 고릴라….

이야~ 꽤 하네요, 주장도….
하하하

……

오빠두 참. 1학년한테 저렇게까지 할 게 뭐람?
태웅이가 불쌍해.
안절 부절

어머? 소연이는 서태웅에 대해서 잘 모르고 있구나.
예?!

저 녀석, 겉보기엔 멍청해 보이지만 속은 지독한 승부근성이 있어.
눈앞에서 치수 선배의 저런 플레이를 봤으니.

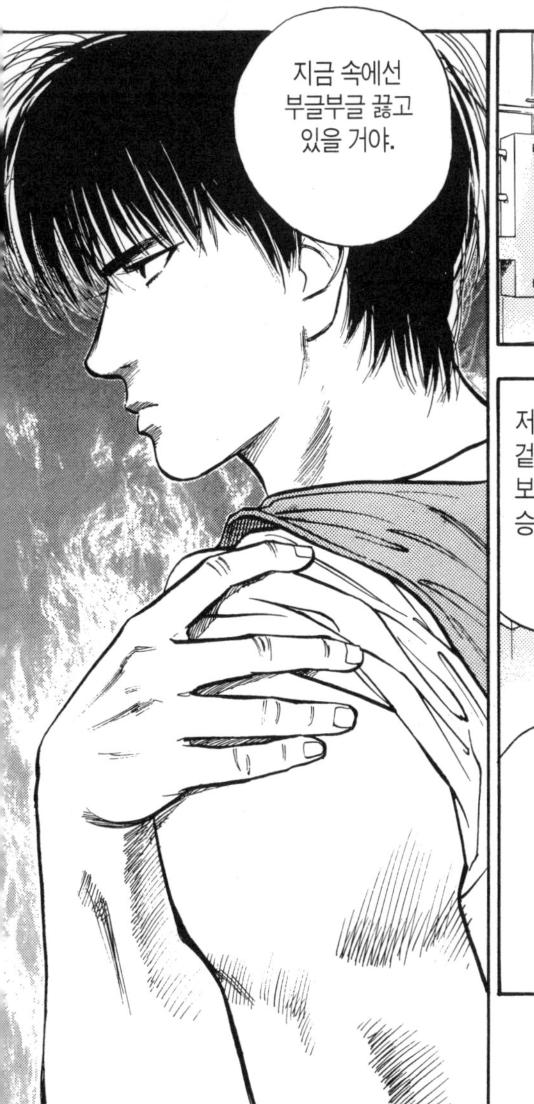
지금 속에선 부글부글 끓고 있을 거야.

#13 SKY-WALKER

하앗!
끼기익
끽
터엉

!!
불끈
저게!
그것 봐! 투지가 불타고 있잖니!
서태웅!!

소연이 앞에서 녀석이 멋있어 보이는 건 난 못 참아! 지기 싫어하는 성질인지 뭔지 몰라도!!
나도 지기 싫은 성질로는 아무한테도 안 진다!
젠장!!

지기 싫어하는
백호였지만….
지금의 백호로서는
이것이 최선의
방법이었다.
짱 짱
서태웅을
막아!!
납작하게
만들어
버려!
그래!
거기야!

거기야!
밀어붙여!

탕

우우!
아아!
갈겨버렷!

탕

마지막
수단이다!
걸어!
딴지 걸어!
털
썩
전부
파울이잖아!
12번 푸싱!
프리스로!!
삐
익
보기 흉한
응원은
그만해!
내 참…
좀 더
거칠게
해야지!
툴-툴
투덜

지금 그 파울
아니었으면
당했을 거야.
잘했어, 신오일.
녀석의 돌파력과
리바운드 실력은
정말
대단해요!
대단한
1학년이
들어왔어요!
…!!

무슨 소릴
하는 거야,
너희들!
이 정도는
해줘야
우리가
할 맛이 나지!
휙
안 그래?
서태웅!
주장….

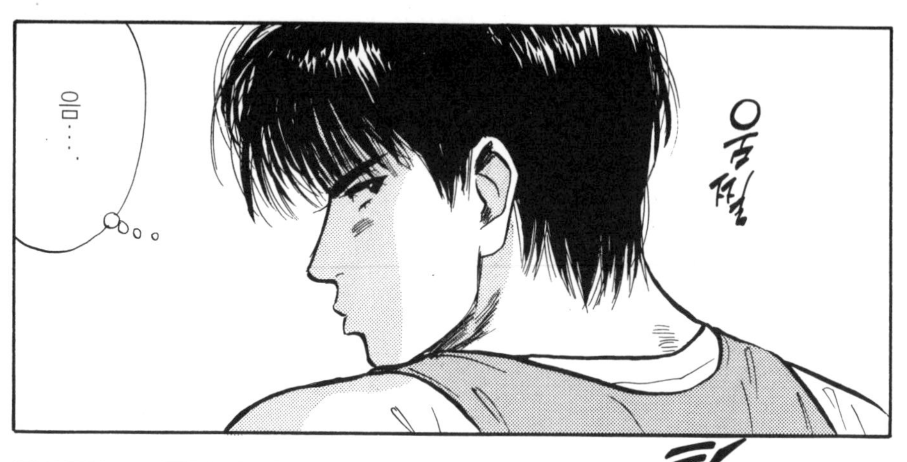
움찔
음….

자유투!
투샷!
탕
탕

어…
한나 선배,
저게 뭐죠?
응. 저건
자유투라고
하는데.

아까처럼
슛모션에
들어갔을 때
파울하면 얻을 수
있는 거야.
자유투는
아무에게도
방해받지 않고
던질 수 있는
거야.

그런
거구나….
응?

와아…
역시….

아무에게도
방해받지 않고….
번쩍…

타앙
타앙

뉴웅
!!

뭘 생각하고 있는 거야? 저 멍청한 놈…!

젠장!
난 도대체 무엇 때문에…
부들
부들
부들

멍청아! 그런 건 집중력이 없는 녀석에게만 통하는 거야!
언제까지 바보짓만 할래?!
너같은 녀석 말이다!
나까지 창피해 지잖아!
나, 원참.
……

서태웅 혼자만 뽐내게 놔둘 순 없어!

이봐요, 아저씨!
감독의 권한으로 날 내보내주세요, 네?
앗!!
이제와서 말하지만 난 우리 주장한테도 이긴 사람이란 말이에요.
까짓 서태웅 따위보단….
음….

선생님, 죄송합니다. 이 문제아에겐 제가 따끔하게….
호호…. 괜찮아요, 한나양.

저기 백호야. 너도 1학년이니까, 1학년을 응원하는 게 도리 아냐?
넷!
아… 아니! 그건 안돼!
그것만은 안돼! 서태웅을 응원하라니!!

정말….
백호하고 태웅인
어째서 저렇게
사이가 나쁜 걸까?
걱정인걸….
원인은
너야.
너!
둔하긴…!
멍해
가지고….

알았어?
넌 여기서
잘 보고만 있어.
남의 플레이를
보는 것도
공부야!
젠장!
또 이런
구석에다….

자아!
파이팅!
파이팅!

흥! 뭐 좋아.
난 저 주장한테도
이긴
사람이니까.

그래! 말하자면
높은 자리에서
구경이나 한다
이거야.
헤헤….
서태웅 따위완
질적으로
틀리지!

헤헤~
맞아, 맞아.

좋아!
!!

훗!!

아니? 뭐가 이렇게 높아!
막을 수가 없어!!
닿지가 않는걸!!

!!

파앙
!!
텅
23

!!
앗!!
!!
서태웅!
허억
이리줘!
팍
악
BASKETBALL ASSO

어서
수비해!!

……!!
욱…!
빠르다…!!

…!!
적
악

타
이런…!
저
큰 덩치에
어떻게 저런
드리블이…
악

서태웅!!
반칙을
해서라도
막아야 해!

멈칫

23

콰아

터엉

서억

진짜구나….
서태웅!
녀석은
틀림없이
진짜야!!

그것은 불과
몇초 동안의
일이었으나,
서태웅의
플레이에
정신을 빼앗긴
자신을
강백호는
깨달았다!

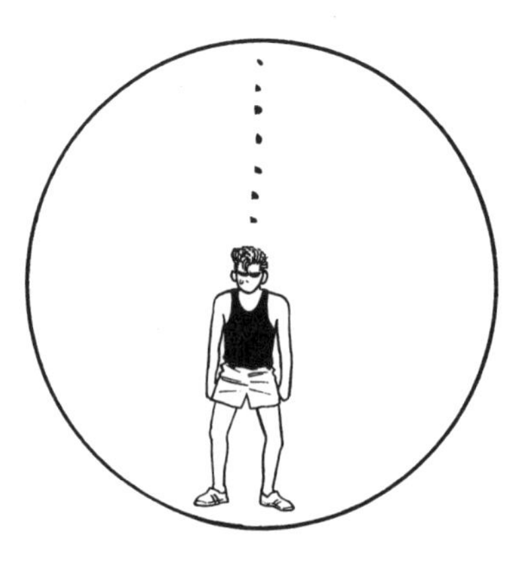

#14 NEW POWER GENERATION

꺄아~악!

평생 따라 다닐래!
서태웅 최고!
정말 굉장한 걸 봤지 뭐야!

쾅당
앗!
또 닫혔다!
쿵쾅
열어줘!
쾅쾅
바보!
깡패!
심술 부리지 마라!
……

제길
제길…
서태웅
녀석…!!

앗…
소연아!

……

태웅님…!
아아!

누, 눈이
하트가
돼버렸어.
지,
진정해,
강백호!
우와아아앙
예감이 안 좋다
했더니
이거였구나.

콰
앙
!!
소연아!
멍~
툭

내 동생
건드리지 마!
이런
빌어먹을!!

야!
너 피곤하지?
나하고
교대하자.
응? 야
응?
임마!
협박하지
마!

내보내줘,
고릴라~!
날
내보내줘
~!
제발
울지 좀
마!!

선배님, 저렇게 애원하는데 내보내주는 게 어때요?
시간도 얼마 없는데.

그리고 이건 1학년의 실력을 보기 위해서잖아요?
강백호도 이젠 어엿한 농구부원이니….
한나 선배…!

잠시 동안이라면 괜찮잖아?
안경 선배!

준호 라니까.
알았어요, 안경 선배!

……
저어… 나 교대하고 싶은데요? 무서워서 ….

모두 왜 이러는 거야?
이런….

감독님, 저 녀석 말인데요.

아직 초보 단계고,
인간적으로도
좀 문제가
있어서요….
훅
훅
훅
훅
훅
빙글
빙글
빙글
훅
훅
훅

호호호!!
거 재미있겠구만.
내보내주지 그래,
채치수군?
!!

좋았어!
짜앙
유니폼 뺏긴 아이
모두다 마음이 약해!

임마, 너희들! 한 팀이란 거 잊지 마!
웬 눈싸움 이냐?!

......
하하! 재미있는 콤비같지 않니?

......

강백호가 나왔네?!
......
짝 짝
어머!

으라챠!
파이팅!!
자아, 나머지 2분동안도 힘을 내자! 파이팅!!

두근두근
자! 덤벼라!

우와!!
큰 녀석이
둘이 되니까 역시
위압감이 드는데…!!
둥
둥
그래!!

두근두근
멋져~!!
서태웅과
강백호의
콤비를 이렇게
빨리 볼
줄은….
두근

근데, 백호는
이제 막 농구를
시작했는데
실수하지
않을까요?
당연히
하겠지.

남은 시간도 얼마 없으니,
아무것도 못해보고
끝나겠지.
그냥 경험이
되라고 내보낸 거야!

으랏챠!!
엇
!!

어머?
백호야!
오오! 나이스 커트!
공장한 순발력이다!
와!
해냈다!

우아아~!
아니? 드리블도 제법인데?!
……
기초 연습 덕이야!
와~! 백호야!
이놈 봐라! 생각보다 괜찮은데…!!

강백호! 서태웅이 비었잖아! 패스해, 패스!
패스! 패스 !!

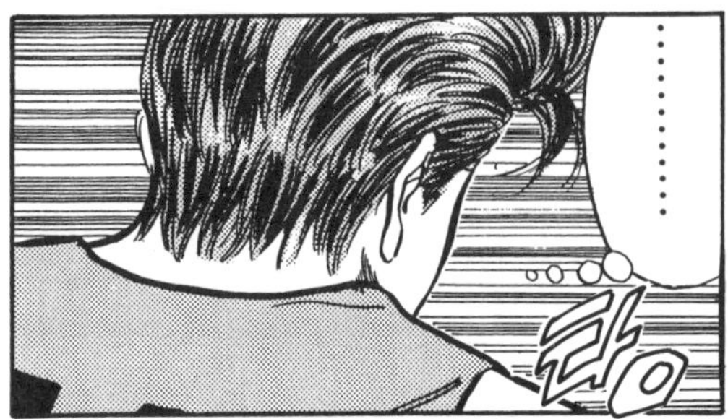

……

뭐… 뭐하고 있는 거야! 막혀 버리잖아!
강백호!

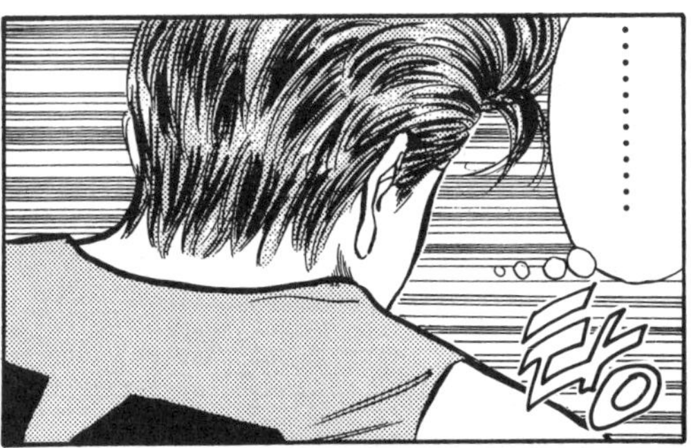

……

……
저… 빨강머리 녀석!!

우릴
얕보는
거냐?
내분을
일으키고도
우릴
이길 거
같으냐?
쾅
앙
역시!!

아아…
백호야!!
너란
애는…
정말
저 애는…
서태웅, 멍청아!
누가
너 따위한테
패스할 줄
알구?!
헤헤헤!!
내가
고릴라 위에서
슬램덩크를
해보이겠다!
잘 보라구!!

야압!!

까불지
마라!!
우아앗!
뛰었다!!

!!
주…
주장!

앗!!

고릴라…
아니 주장님!
한 가지
말해둘 게
있는데요.
………

일부러
그런 건
아니에요!
………

………
………

너! 정말!!
와앗!
이번에는 절대로 용서 못해!
으악! 일부러 한 게 아니라고 했잖아요!!
아야~ 서태웅, 너! 뭐하는 거야?!
꼴좋다!

역시 내보내지 말 걸 그랬나?
채치수 녀석, 감독님이 게시다는 걸 완전히 잊어버렸어.
아무래도 그런 것 같아요.
엉망 진창이야.
……
와— 와—

콜록 콜록
젠장…
콜록 콜록

♯15 어느 비오는 날

쳇….
쏴아아아
아직도 안 오나? 벌써 수업 시작한 지 3시간째야.

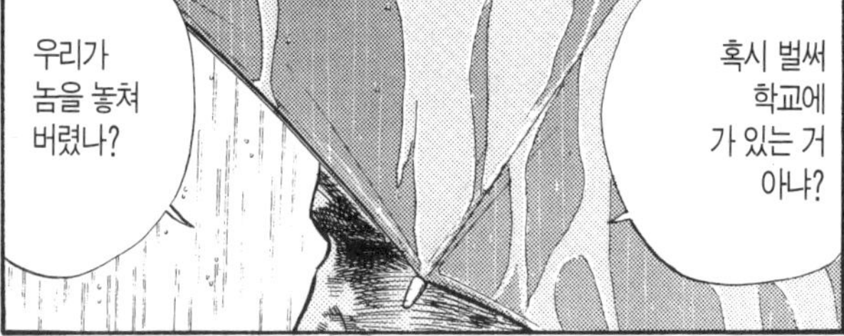
혹시 벌써 학교에 가 있는 거 아냐?
우리가 놈을 놓쳐 버렸나?

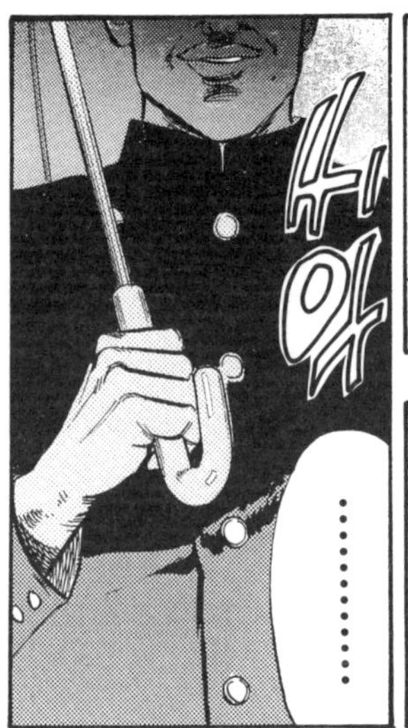
쏴아
……

바보야! 그깟 놈을 놓칠리 없잖아.
그 머저리 같은….

빨강머리를
말야.
비가 오면~ 생각나는 그~ 사람♪

아아~,
비가
싫~다.

언제나~ 말~이 없는 그~사람♪
집을 나왔을 때는
당황했지만, 이 정도
늦어버리면 새삼
서둘러봤자 소용없다고
생각해 천천히 걷고 있다.

삐걱
삐걱

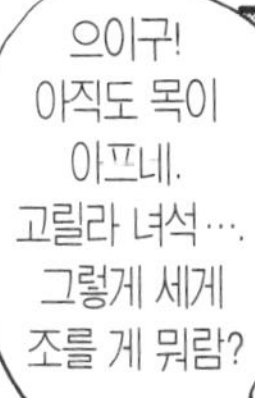
으이구!
아직도 목이
아프네.
고릴라 녀석….
그렇게 세게
조를 게 뭐람?

척
척

1학년
강백호지?

응?

그럼, 이 영문을….
3학년 6반

채치수, 번역해 봐.
네.

그는 말했다, "아침… 그것은 희망찬 하루의 시작"
"사람들은 그 눈부신 빛을 우러러 갖가지 색깔의 행복을 희구한다".
3-6 채치수

음! 거의 완벽하다. 잘했어!
와아

과연~ 채치수야! 거긴 어려운 대목인데.
그래?

내참! 녀석한테는 당할 수가 없단 말야.

농구부는 요새 어떠니, 치수야?
이제 제법 주장티가 나는데…?
아직 멀었어.

엄하게 해야 되는데 나도 모르게 약해지거든.
아무래도 안되겠어.
그만하면 충분히 엄하다야.
지나칠 정도로….

하지만 올해 농구부는 쓸만하다던데?
맞아. 소문이 자자해.
1학년 중에도 꽤 쓸만한 놈이 들어왔다며?

글쎄….
문제아 투성이야.

굴~
굴~

1학년 10반

저것 봐.
선생님의 저 눈.
저건 굉장히
신경쓰인다는
뜻이야.
얘얘!
서태웅,
아직도
자고 있네.
깨워줘.

……
……
!!

......
긁적
긁적
뿌직...
이노옴!
서태웅~
......
쿨~
이!!
녀!!
석!!
아!!
네놈은
언제나
잠만
자고!!
수업이 그렇게
재미없냐!
내 수업이 그렇게
재미없냐구?!
딴
수업시간도
자는데요
선생님….
......
......

어떤 녀석이라도 내 잠을 깨우는 건 용서할 수…!!
뭐라고…?!
야! 너 지금 뭐하는 거야?!
와아! 재가 잠이 덜 깼어!
1학년10반
잡아!
어서 말려!

강백호!
1학년 7반
강백호-!
양호열!
강백호는 오늘 결석인가?
네? 모르겠는데요.
왜 나한테 그걸….
이런… 벌써 시작인가?
매번 이런 녀석은 한 석 달 지나면 학교 그만둔다니까.
몇 번씩 말해도 머리는 검게 염색 하지 않고…!
정말 손들었어.
쯧쯧!
이봐, 양호열! 정말 모르나?
야-.

……

쳇…!
정말 맘에 안 드는 녀석이야.

뭐하고 있는 거야? 백호 녀석.
강백호지?
쏴아아아아

흠…
소문대로
좋은 체격이군.

뭐야? 너희들!
매복을
다하고 말야.
덕분에
지각하게
됐잖아.
앙!?

무슨
소리야,
임마!
처음부터
완벽한
지각이잖아!
으….
남의 탓으로
돌리지
마라!

야! 이 녀석
하는 말에
일일이
대꾸할 것
없잖아?
아무래도 소문대로
덜 떨어진 것 같다.
뭣이
어쩌구
어째?

누구야?
너희들!
너희
같은 것들,
난 모른다.
만난 적도
없어!!

그래….
개인적으론
아무
유감 없다만….
상부의
명령이니
나쁘게
생각마라….

때
때
앵
앵
때
때
앵
앵

전국
제패야.
으흐흐
끝내
주는데!

올해는
좋은 성적
올릴 거야.
목표는
어느 정도지?
전국대회
나가는 것?

초등학교
때부터야.
전국제패는
중학교 때부터의
너의
입버릇이야.

그만두자.
이런 얘길 하면
꼭 나타나거든,
그 녀석이!!

앗!!

……
……

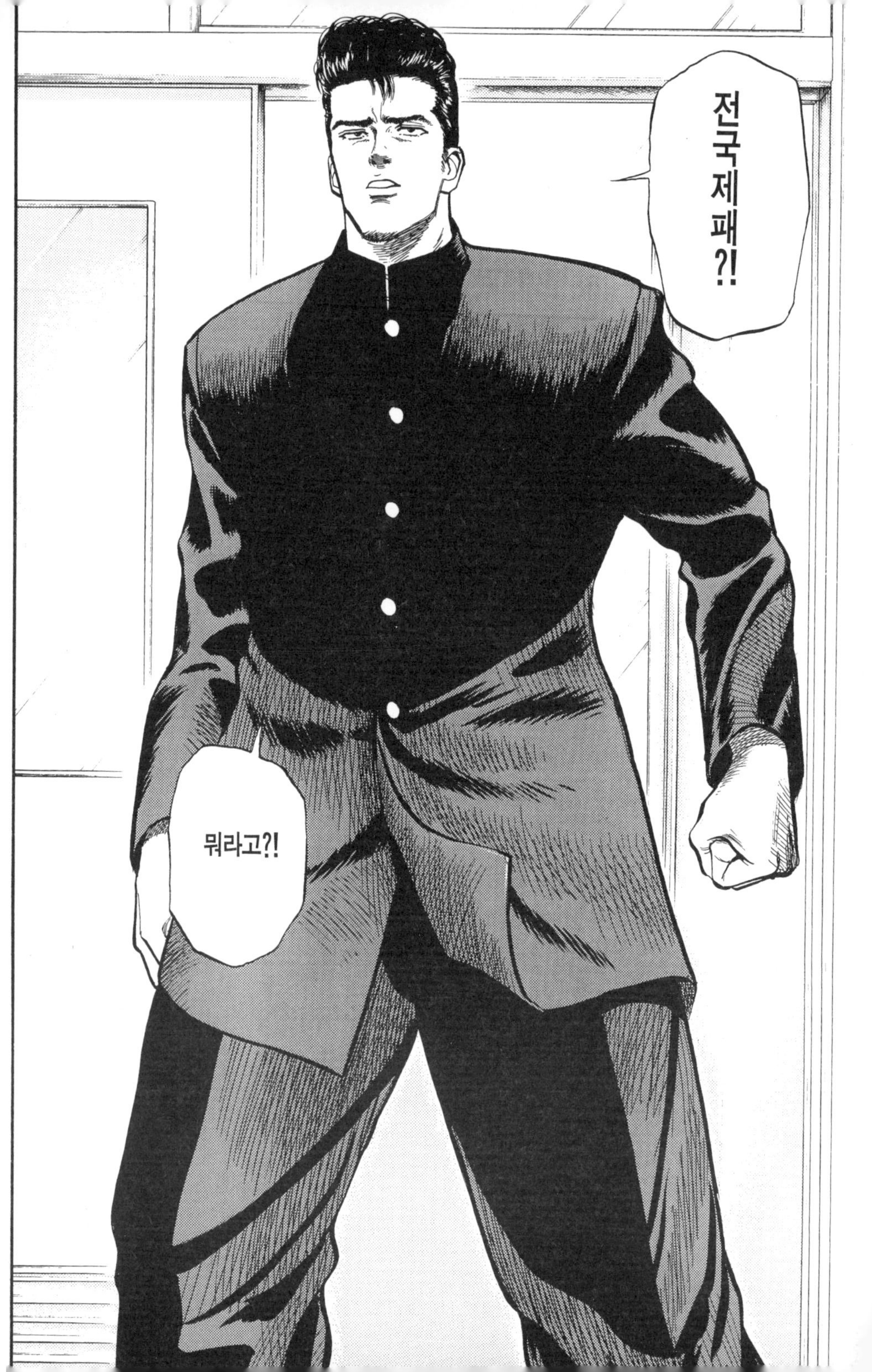
전국제패?!
뭐라고?!

그건 내가 먼저다! 채치수!!
우리 유도부가 말야!!

유창수…!!
역시 나타났어.
유창수!

너, 이 얘기가 나올 때마다 나타나는 짓 이제 그만해라!
유창수 너!!
이 녀석 귀도 밝아~!

어째서 농구가 시시해! 알지도 못하면서 함부로 지껄이지 마라!
도대체 네 녀석은 몇 년이나 같은 말을 해야 속이 풀리냐? 유창수!!
북산고 농구부 주장
채치수

흥! 농구같은 시시한 운동에 빠지다니,
실망했다, 채치수!!
북산고 유도부 주장
유창수

느닷없이 대결 무드다, 얘.
언제나 저래. 무슨 일이 있을 때마다 저 둘은…!!
저 둘은 초등학교 때부터 친구이면서 라이벌이야.

그런데 초등학교 때 벌써 채치수 동생, 소연이한테 한눈에 반했대.
건드리지 마!
툴툴
응?
그래, 소연이는 잘 있냐?

먼저 전국제패를 하는 건 우리야!
뭐, 좋아. 우리 유도부는 말야, 이미 전국대회제패를 위한 훈련을 계획하고 있어.

백년에 하나 있을까 말까한 인재가 들어올 거다.
흠…!

1학년에 괜찮은 녀석이 들어왔거든.
우리도 진심으로 노리고 있어, 올해엔.
그래? 우리도 마찬가지야.

하하~. 어떤 녀석인데 그래?

1학년 7반
강백호!!

뭐라구?!

가… 가만
유창수!
대체
무슨 소리야?
무슨 소린
무슨 소리야?
말 그대로지.

이미 우리
정예 부대가
권유하러 갔다.
흐흐….
녀석들 좀
거칠어서 말야.
지나치지 않았으면
좋겠는데….

뭣!?
…………

유창수! 2학년 손님들이 왔어.

얘기가 끝난 것 같군.

실패 했어요!
꽈당

우리 전사들을 저 꼴로 만들다니….
정말 반했다. 강백호는 반드시 우리가 차지하겠다. 알았나?
……

생면
우동
세 놈을 해치우고 배가 고파 라면을 시켰더니, 왠지 학교 생각은 뒷전이 되어버렸다.
학생, 학교 안 가?

아― 잘 먹었다
달아둬요.
하… 학생!!

♯16 실력자

재잘
재잘
재잘

웅성
웅성

소연아!
멋져….
화아!
눈부셔!
와 싱글
와 벙글
와 싱글
와 벙글
와 싱글

뭐야,
녀석들?!
수업중에….
앗!

야! 소연이가
우릴 봤다
백호야!
손흔들어 봐,
손!

백호야….

못 본 체
해!!

아니?

감히
소연이를!!
응…?
응…?

아니!
넌…
빨강머리!!
너희들
수업중에
엿보다니,
배짱 한번 좋다!
앗!
잠깐 체육
교사실로 와!
체육교사 군단

아뿔싸!!
강백호가
잡혔다!!
도망쳐!!
앗! 저런…
몰인정한
놈들!

아앗!
저기…
공범자들이
도망가요!!
강백호!
넌
친구를
팔
셈이냐?
돌아
보지 마.
대남아!
임마!
얌전히
굴어!!
에이잇!
우왓!!

오오!

정말 못말리는 녀석이군, 저놈은…!!
멋지다!!
뭐 저런 게 있어?

그냥 둘 줄 아냐? 너~!!
다다닥
임마! 강백호!!

거친 체육교사를 둘씩이나 간단히 던져버리다니… 저 괴력!!
저 힘만으로도 상당한 전력이 될 거야!! 역시 내 눈은 정확해!
강백호…
넌 유도를 하기 위해 태어난 사나이야!!

어서 따라와!! 3학년 주제에 이게 뭐하는 짓이야!!
뭘 중얼거려, 유창수!!
쿡
아얏!

힐끔

농구 같은 거 그만두고 유도부에 들어오는 거다. 강백호!!

정말 예뻐졌구나 ….
소연아…!!

누구니, 저 사람?
3학년?
소연이 아는 사람이니?
응! 오빠 어릴 적 친구야.
유창수라구….

그 강백호 군단이랑 지금의 유창수랑…. 네가 아는 사람은 모두 이상한 사람뿐이구나.
뭐?
오빠도 무섭고….
안 그래! 모두 좋은 사람이야!
오빠는 무서울지 몰라도….

그 강백호는 반드시 우리 유도부가 데려간다!! 결정했어!!
야, 채치수!
아직도 그 소리냐?
참나! 유도부 주장이 이러니…. 부원들이 불쌍하다, 불쌍해!
3학년 5반
헤헤…. 한 시간이나 무릎꿇고 있었던 게로구나 유창수!
시끄럿!!

녀석은 농구같은 걸로 만족할 녀석이 아냐!
우글우글
녀석은 유도를 하기 위해 태어난 녀석이야.
녀석한테는 격투기가 어울려.
유도부 강백호의 상상도
그 체격! 그 힘! 그리고 그 배짱!!

녀석이 정말 좋아서 농구를 한다고 생각하냐?
게다가 제일 중요한 건 녀석의 마음이야.

아냐, 격투기야!
이봐, 네멋대로 정하지 마.

녀석이
좋아하는 건
농구가 아니고
소연이란 말이다.
내 말 틀리냐?
뭐…?
농구가 좋아서
하고 있는 게 아니라
소연이한테
잘 보이고 싶어서
하고 있는 거란 말야!!

무리도 아니지.
소연인
예쁘니까.
그동안 못 본 사이에
어른이 다 됐고,
게다가 우리 학교에
들어오다니….
난 운이 좋은 놈이야!
무슨 말이
하고 싶은
거냐?

치수야!
소연이를 미끼삼아
강백호를 농구부에
묶어 두는 일이
잘하는 짓 같으냐?!
뭐라구?

그만한
소질을 가진
사나이….
자신에게
가장 어울리는,
진심으로
하고 싶은 일을
하게 하는 게
도리 아니겠냐?

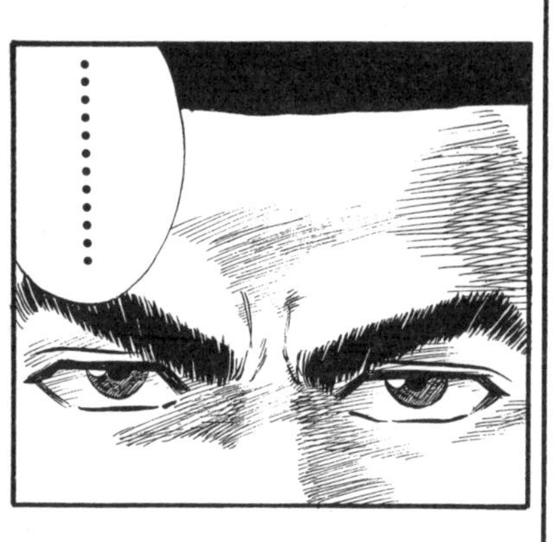
……

난 녀석한테
농구부에
있어달라고
부탁한 적 없어.
야…
치수야.

그래?
그러니까
농구부 주장으로선,
유도부가
녀석을 빼가도
말리지 않겠다,
이거지?

그래…!?

그건 녀석의
자유야.

자…
잠깐!!
부주장은
반대다!
야!
유창수!
후후~.
주장께서
승낙한 거야.
부주장의 잠꼬대는
안 들리는걸?

야!
채치수!!
정말
괜찮냐?!
……

웅성
웅성
웅성
1학년6반

응?
넌 아까
그….

유도부 주장,
유창수다!!
강백호!
너에게
할 말이 있다.

시끄러! 이 매정한 놈들아!
못 본 체 할 때는 언제구!!
척

여~ 강백호! 인기 좋은데!
야! 뭐야? 뭐야?
힘쓰는 사내한테만 말야!!
늘름 늘름

앗! 소연아….

앗!

어머! 창수 오빠, 오랜만이야!!

창우
오빠?

아, 소연아!
……
……

소연아.
예… 예뻐졌구나.

어머…?!

!!!!!!

어엇?!

자연스럽다…
아주 자연스럽게 그 말을 말했어…!!

이…
이 녀석은 도대체….
나 잠깐 강백호와 할 말이 있어서 말야.
그럼 또 보자!

응?

저건 유창수와 강백호!!
창수란 놈…!!

유도부

자아, 이걸 입어!
응?

유도부에
들어와라,
강백호!!
넌 유도를
하기 위해
태어난
사나이야.

유도?

응?
후후~,
부러우냐?

휘
액
흥!
느닷없이
무슨 소리야!
그보다 소연일
어떻게
아는 거야?
창수 오빠
어쩌구 하며
말야!!

백호 오빠.
좋겠다…
헤헤헤…

하하하~ 넌 기껏해야 "백호야" 정도밖에 안될걸?!
어떻게 부르느냐에 따라 친밀도를 알 수 있는 거지!! 안 그래?
뭐라구!

야, 준호야! 난 이렇게 엿보는 거 성미에 안 맞아. 갈래.
아니 안돼! 강백호를 유도부에 넘겨줄 순 없어!

저것 봐. 유창수는 유도복까지 입고….
설마 힘으로 끌어들이려는 건 아니겠지? 반칙같은 건 안할까?

풋내기를 상대로 그런 짓 하겠냐? 걱정도 팔자다, 너!
저래봬도 유창수는 2단이야! 도내에서도 손꼽히는 실력자란 말이다.

그 풋내기하고 싸운 농구부 실력자는 누군데…?
걱정이다 정말…

강백호!
이게 뭔지
아냐?
혹시 이상한
취미있냐,
너…?
후후후…
아직 멀었구나.
너, 잘 봐
이게 누군지….
아!
이건…?!
맞았어!
이건 소연이
초등학교 때
사진이다!
하하하
하하
뭐…뭐야~!?

하하!
이게
중1 때.
팡
이게
중2 때.
팡
이것이
중3
때다!!
팡
그리고
이게 중학교
졸업식이야!
하하하~.
하하!
오오~
이게
중학교때
소연이….
와아
이렇게
귀여울 수가….
내 보물이지.
중학교

조…
졸업식
까지!!

유도부에
들어오는 조건으로
이걸 몽땅
네게 준다면
어떻게 할래?
!!

저 녀석! 소연이를 미끼로 쓰고 있는 건 바로 너잖아!
그럴싸한 말은 혼자서 늘어놓고.
비겁한 자식!

으앗! 큰일났어!! 저 강백호의 얼굴을 봐…!!

뭐라구요?
흘끔

많이….
기울어 졌다.
쟤는 원래 그런 놈이야.

팔랑
팔랑
어어…

자아,
강백호!

유도부에
들어오는
조건으로
이 사진을
몽땅 준다면
어떡할래?!
……

아…
안되겠어
치수야!
어서
막아야 돼!
강백호
녀석…!

헉
헉
자아?!
자아?!

안돼!
사진에 넋이 나갔어.

이 초등학교에서 중학교 때까지의 사진….
나도 이걸 넘겨주는 건 아깝다! 정말 분하단 말이야.

백호! 넌 알 거다, 이 기분!
같이 소연이를 사모하는 사람끼리 말야.
꽈
악!
알아요, 알아.

……
이걸 모으는데
5년이나 걸렸어.
그 고생!
그 끈기!!

어렵쇼? 이상한
연대감이
생기는걸.
사기꾼
같으니….

넌 알 거야,
강백호!
알아요.
응응~!

……

그만큼
네가
필요하단
말이다.
그러니까
유도부에
들어와,
알았냐?

#17 유도 사나이
싫어요.

뭣?

백호야…!
난 널 믿었어…!
기적이다!

뭐야?! 그럼 이 사진이 필요없단 말이냐?
나의 보물을…
필요해요.

!?

흥! 그렇겠지. 그럼 유도부에 들어오는 거지?

너…
널 믿었어,
백호야….
휴우

싫어요.

필요해요.

뭐라구?
그럼 이 사진이
필요없다
이거지?

!?

흥, 그렇겠지. 그럼 유도부에 들어오는 거지?
싫어요.
뭐? 그럼 이 사진 필요없어?
필요해요.
動静一如

……

임마! 지금 장난하자는 거야?! 그런 건 내게 안 통해!

흥! 그럼 좋아! 그렇다면…
실력으로 뺏을 거야.

유도부엔 안 들어가고…
사진만 받겠어!!

……

하하
하
아하하…! 강백호의 성격까지는 파악하지 못했구나, 유창수!
강백호는 그런 치사한 거래에 걸려드는 놈이 아니란 말이다.
아주 이기적일 뿐이지.

역시?
어린애야!

그러나 이번에는….
상대를 잘못 만났어.

실력으로
말이냐?
후후….
나한테 그런 말을 한
녀석은 채치수
빼놓고는
네가 처음이다.

고릴라?
고릴라와
아는 사이야?
유도 사나이?
유도
사나이?
아는
사이
냐구…?
나만큼
녀석을 잘 아는
사람도 없어.
녀석과는
초등학교 때부터
친구니까.

잊혀지지도 않아. 초등학교 5학년 때 일이야…. 난 그때 이미 유도 선수로서 시합에 나갔다 하면 질 줄 몰랐고, 유도가 재미있어 미칠 지경이었지.
그래서 녀석한테 말했어.

야! 치수야! 너도 유도해.
너도 틀림없이 나처럼 세질 거야. 그렇게 되면 틀림없이 유도가 재미있어질 거야.
응?

난 나의 즐거움을 녀석도 맛보기를 원했든 거야!!
순수한 선의로서 말이야!
우정이였어!
그런데 녀석이 뭐라 그랬는지 알아?

싫어! 꼴불견이야!

뭐 그런 게 다 있어!! 순진한 소년의 호의를 짓밟다니 말이다!
너도 그렇게 생각하지?
아니 별로….
녀석은 내 마음에 상처를 준 거야!

아직도 맘속에
담아두고
있었군….
기억 나니?

그때부터야.
녀석과 나 사이의
우정에 금이 가기
시작한 건….
모두
치수 녀석
잘못이야.

역시
그랬구나!!
어떤
일인데?
잠깐! 나한테는
더 못된 짓을
했어.

일부러
한 게
아니란 말야!!
난
하마터면
죽을 뻔
했다구!!
뭐?
그건
누구라도
화낼걸?

고릴라의
이마에 덩크를
찍었더니
내 목을 졸랐어!!
꽉
꽉
꽉

……

쓰디쓴
기억이….
가만, 또 있어!
녀석 때문에
상처입은,

그래서 녀석한테 말했어. 초등학교 6학년 때…. 그 날은 신체검사 날이었어.
우리 두 사람은 그때 벌써 유난히 몸집이 커서 말야…. 신장과 체중에서도 서로 다투고 있었어….

그런데 녀석의 키가 갑자기 커지기 시작했어.
173cm
우와~ 크네~
그런데 그것뿐이라면 또 좋았어.

탕
유창수가 반에서 제일이구나.
어이 없게도 난 앉은키로 치수를 이겼던 거야.

역시 그렇구나.
유도같은 걸 하니까 다리가 짧아지지.
쿵

크흑-! 그 녀석!! 그런 심한 말을 어떻게 할 수 있는 거냐구!!
웅야야
확인 사살까지 하다니…!
게다가 내 다리가 짧은 것은 유도 때문이 아니고 타고난 거란 말이야!!
너무하다고 생각 않니?!
맞아.

모두
녀석 탓이야!
어쨌든 그때부터
우리 사이가
벌어지기
시작했어!
그래!

……
글쎄
그런 말
했니?
좀
심한
걸…

그거야
당연하지.
게다가 고릴라는
내게 기초만
시키고 있어!
지독한 놈이야!

녀석이
소연이의
오빠라는
사실이야!
그래,
맞아!!

알겠냐!
강백호!
가장 골치
아픈 건
……

왜 하필이면 그런 곰같은 녀석이 소연이 오빠냐구!
이토록 닮지 않은 남매가 있어도 되는 거냐?
그야말로 눈두덩 위의 혹이지 뭐야?

옳―소!!

……
침착해, 치수야! 악의가 있어서 하는 말이 아닌 것 같아…. 아마도!!

어떠냐? 강백호!
우리에겐 공통의 목표가 있다!
우와아아아
타도! 채치수! 아자!!
아자!!

가입신청
유도부
1학년7반 10번
강백호
앗?!

좋아!
그럼 여기에
지장을….
어어?!

갖고
싶어요.
그렇지?
그럼 들어와!

싫어요.
젠장!
또 헛수고네.

자기
맘대로
남의
이름을
써 놓고!
큰일날 뻔
했네.
이
비겁자
같으니!!
야! 강백호!
이 사진
갖고 싶지
않냐?

복잡한 건
내 성미에
안 맞어!!

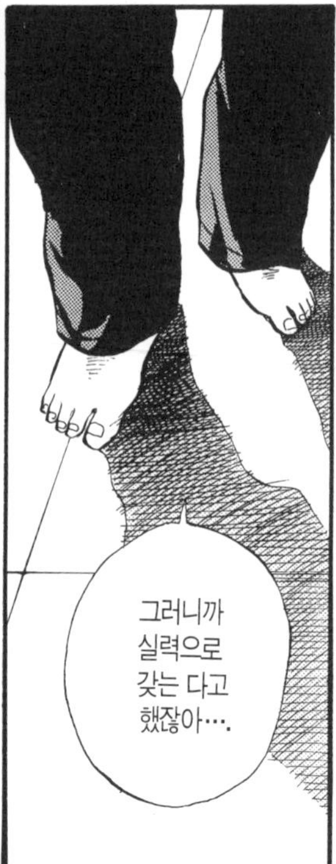
그러니까
실력으로
갖는 다고
했잖아….

흥!
역시 대화가
통하지 않는군.
우리가
언제 대화를
했다구
그래?!

하지만
….
그런
성격이야말로
내가 반한
거니까….

이
유창수
피하지도
숨지도 않는다.
덤벼봐.
강백호!!

드르륵
안녕하십니까!

엇?

콱

뜨끔!!
짜악

어라?

으악!

앗!
강백호!

우릴 이꼴로 만든 강백호다!
아니 저건? 강백호 아냐?

!!

창수 주장, 끝내줍니다요!! 우리 원수를 갚아줬군요!!
한판!
역시 창수 주장!!
맛이 어떠냐! 강백호!

시끄럿!

뜨끔
넷!
죄… 죄송합니다!

아이구.

나도 모르게 메다 꽂았어. 잡고 있을 수가 없었다!
뭘까? 아까 그 살기는 …?!
헉
헉
헉

읍....

3.5 MILK
#18 What I Am

아야야~.

뭘까,
아까
그 살기…?
잡는 순간
마치 짐승과 마주친 것
같은 살기를 느끼고
나도 모르게
던져버리고
말았다….
이 녀석!
유도 기술을
썼겠다.
그것도 가장
아픈 걸….
맛이 어떠냐,
강백호.
치수야,
어서
말려야 해!!
부상이라도
당하면….

좋아!
다시 한번
확인해보자.

어쩌면
내 생각 이상의
사나이
일지도….

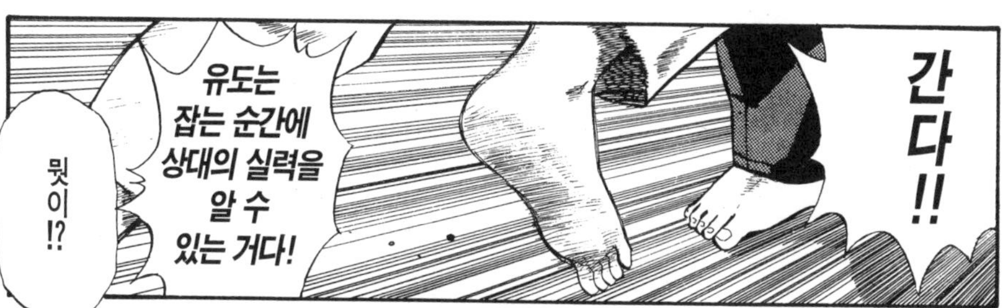

간다!!
유도는
잡는 순간에
상대의 실력을
알 수
있는 거다!
뭣이!?

자아!

!!

아앗! 창수 형!!
주장!!

우리와 똑같이 당했어!!
……
뒤적 뒤적 뒤적
저 녀석!!

치사하다, 임마! 유도로 승부하지 않고 뭐야!
박치기는 반칙이야!

무슨 소리야! 강백호는 유도같은 거 모른다구!!
말이 되는 소릴 해!!

있다~!

……
뒤적 뒤적 뒤적

헤헤…. 내가 모르고 있던 소연이가 이렇게….
중학

이것만
손에 넣으면
너희들 같은 거
알게 뭐야?
척
또 보자.
헤헤헤
척
유도
사나이에게
잘 말해 줘.
기다려,
임마!

꽈악

엇?!

쿵
쾅
!!

오옷! 주장!!
기사회생 하셨군요!!
팔꺾어 십자 굳히기!
으앗!
어떠냐, 강백호!? 유도에는 이런 기술도 있다!
더 들어가기 싫겠다!
……….
유도부에 들어오고 싶지?
자아, 들어와!
싫어!

아야야야야!

오늘도 활기차게 힘내자고~.

응?
어머, 주장이잖아?

와앗!
이한나!
와앗!!

뭣들 하는 거예요? 유도부는 왜 들여다 보죠?
이상한 취미네.
쳇….
큰일났어!!

아파~ 이거 놔!!

어머, 뭐하는 거야?! 재는 백호 아냐…?!
이게 대체…!

농구부 그만두고 유도부로 와!
싫어!!

!?

그래?
우득
아야야야!

유창수는 강백호를 백 년에 한번 나오는 인재라는 거야.
뭐라구요?

큰일이잖아요! 빨리 말려야 해요!
삭
맞아! 빨리 말려야지! 팔 부러지겠어.

……
찔끔
안돼! 난 자신 없어.

치수야! 너밖에 할 사람이 없어.
저 둘을 멈출 수 있는 건 너뿐이야.
치수 선배!!
……

걱정 마.
창수는 백호를 유도부원으로 쓰고 싶은 거야. 팔을 부러뜨릴리 없잖아.

하지만 그러다가 백호를 빼앗기면 어떡해.
겨우 농구부원 다워졌는데!

그건…,
강백호가 결정할 일이야.

농구는 남에게 억지로 시킬 수 있는 일이 아니잖아?
으윽…!
후….
이렇게까지 버티다니.
과연 강백호….
!!

고릴라
특기
목조르기!
꾸욱
소연이
사진 내놔!
이 유도
사나이야!
꾸욱 꾸욱
꾸욱
으으윽
…!!

이…
이 완력…!!
너… 너는
역시…
유… 유도부에
들어와야 해…!

휘익
……

쿠유웅
으악!
!!
또 유도 기술을 썼어! 이 녀석.
이제 정말 화났다!
너라면 내년에는 에이스가 된다!
열심히만 하면 당장 우리 유도부의 No.2야!
사진 내놔!
불끈
전혀 듣질 않았군….
어떠냐, 강백호!!
농구 그만두고 유도부에 들어오면 사진을 주마!
자아, 그럼 이번에는 내가 공격한다!!
척
하앗…!
억

슥
으응?

!!

아앗?!

!!

이야아아앗!
크
앗

어…?
어깨
들어
메치기!!

이야아압!!!!
콰아아악

사진 내놔요.
흣….

어떠냐…?
유도 재미있지?

!!

응…?

유도부로 와!
그래서 전국제패를 하자.
강백호! 네가 농구부에 들어간 건 소연이에게 잘 보이기 위해서지?
하지만 그런 마음으로 농구해 봤자, 결국은 얼마 못 갈 거다.
그리고 좋아하지도 않는 농구해봤자 소연이가 기뻐할 리 없어.
…!!
…………
뭐라구…?
왜!!
난 농구를 할 거야.
싫어….
고집부리지 마라!

난
바스켓맨
이니까…!!

강백호!

으응?

어서
연습하자!!
이제 곧
시합이라구!!
파이팅!

잘됐다!
잘됐지,
치수야!?
흥!
이게 뭐야?
결국 시간만
버렸잖아!
선배님!

사진은 내꺼야.
치수야, 난
단념하지 않는다.
강백호는
우리 거야.

SLAM
슬램덩크 완전판 프리미엄
DUNK

#19 기분좋은 고릴라

농구부
크윽-! 아파 죽겠네.
그 유도 사나이, 도대체 뭐야?
중얼 중얼
사진도 안주고..
앗! 그렇지! 소연이하고 어떤 관곈지 안 물어 봤잖아!
오빠 어쩌구 하면서 으스대던데.
하하하
사진도 잔뜩 갖고 있었어.

아무려면 어떠냐? 그깟 녀석 어차피 퇴짜 맞을 게 뻔한데.
척
척
헤헤~ 불쌍한 유도 사나이~!
사진을 언젠가 빼앗고야 말겠다

체육관
와글
와글
와글
와글
앗! 저기 나의 진짜 소연이가!

아아…!
역시 진짜가 더 좋아…♡

소연아…!!

꽈
왜 이렇게 늦었어! 강백호!!
억
악!
......
북산!
파이팅!!
파이팅!!
빙긋
움
고릴…?
오빠.
자아, 연습시작! 집합!!
?
옛!!
슥
슥

더 빨리!
탁
탁
하나!
둘!
하나!
둘!
탁
하나!
둘!
더 빨리!
엇?!
!!
훗!

콩
?
콩
콩
더 빨~리!
파아아
음….
훗!
다다 다다다
뭐야, 고릴라 녀석? 되게 신이 났네.
뭐 좋은 일이라도 있었나?
글쎄?
파각
다다다다

왜?
난 농구를
할 거야.

난 바스켓맨
이니까…!!

너의 그 말이
채치수를
신나게 한 거야.

여!
잘 돼 가나?
싱글
벙글

감독님이다.

꾸벅
감독님!
안녕하세요!

쿵
목소리가 작다!!
악!!
인사도 힘차게 해!!
왜 나만 갖고….

안녕하십니까!!!!
안녕하십니까!!!!

안녕하세요?!
호호호—!
호 호
안녕.
뭐야, 도대체…?!
하나!
둘!
하나!
둘!
꺄야
꺄야 꺄야
어마!
간다!
런닝슛!
예에~….
헉
헉
헉

툴툴
슛 연습이군….
이제부터 난 또
구석으로
가야겠지?
대체 언제쯤
나의 슬램덩크를
선보일 날이
오는 거야!
투덜
대지 마.

감독님.

이제 슬슬
강백호한테도
슛을 가르칠까
하는데요.
움찔
!!

어어…
어떻게 된 거야?
오늘,
저 고릴라가
미쳤나!!
앗하!!
고릴라가
저런 말을
하다니!!

……
물끄러미
응?
힐끔 힐끔
힐끔 힐끔
……

……
쭈욱

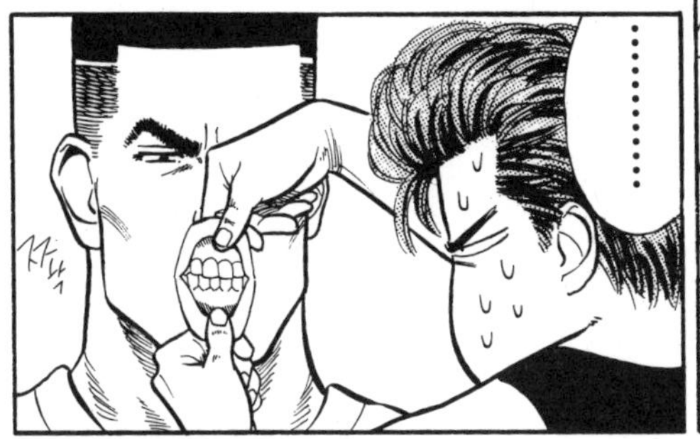
……
쭈악

쿠오오
……
저런 바보……
진짜 고릴라 맞구나.

어떻겠습니까?

……

그래!

그렇게 하게.
네.
좋았어!
그런 거야!
그렇구나! 고릴라가 드디어 내 천재적 센스를 알아차린 거야!

나도 드디어 슬램덩크를 할 수 있다!
소연아! 드디어 뭔가를 보여주게 됐어!
앞으로 너의 시야에 서태웅 따위는 안 들어오게 할 거야!

사용해 주세요.
체육관
저 강백호…. 어쩜 저렇게 단순할까?

머리가 나쁜 거야. 저 빨간 머릴 보면 알잖니?
이상한 애야, 그치?

그래서 항상 서태웅하고 겨루려나 봐.
상대도 못될텐데.
바보 같아.
……
그만두는 게 차라리 나을텐데 그치?
맞아.

너희들 잠깐만!
체육관
어?

남을 비난하는 건 그만둬.

체육관
열심히 하고 있는 사람한테 실례잖아.
뭐… 뭐엇?
소연아.
……
이봐, 서태웅!
드리블 슛의 모범을 보여줘라.
꺄악~
비켜!
앗!
내참! 팬으로서의 최소한의 매너는 지켜야 할 거 아니니!
소… 소연아. 괜찮니?

척
쳇!
되게 시끄럽게
구네!
꺄악 꺄악
서태웅—♡
탕

잘 봐라,
강백호.
……
넘어져라,
서태웅
그만둬!
샤악

타닥

휘이익

꽤액!!

꺅--!
역시~!
이봐!

잘 봤냐,
강백호?
너도 한번
해봐.
흥! 뭐야?
저까짓 거.

싫어요.
저런 초보자나
하는 거.
이 천재
강백호에겐
슬램덩크가
어울려.

또 쓸데없는
소리….
못 말려
….

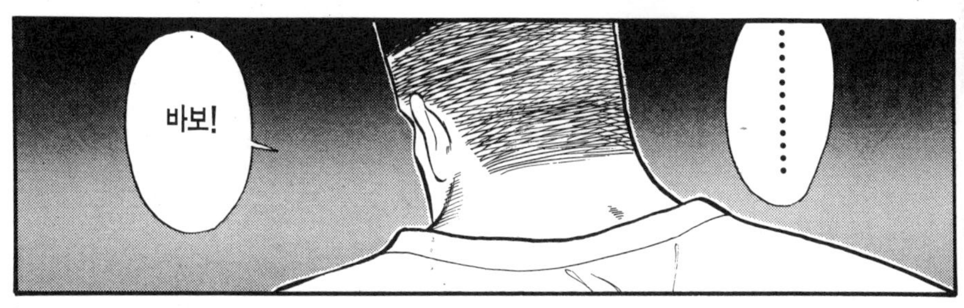
……
바보!

드리블이나 패스에
기초가 있듯이
슛에도 기초가
있는 거야!
또
기초야…?

슛이란 건
넣기만 하면
아무래도
좋은 거
아닌가요?
저런 시시한
슛보다
슬램덩크가 훨씬
멋진데….

시합에서는 언제나 상대의 디펜스가 있는 법이다…. 덩크슛을 할 수 있는 기회는 그리 많지 않단 말이다!
전에도 말했지만, 기본을 모르는 녀석은 시합에서 아무 쓸모가 없어!

알았어요-. 바스켓맨의 길은 정말 힘들군요.
그래! 농구는 우선 기본이 중요한 거야!!

그럼 시작할게요.
드리블 슛!

…하는 척
하면서!

소연이 앞에서
그런 시시한
것을
할 수 있냐
이거야!
슬램덩크!
이얍-!!

불끈
퍽
이 바보 녀석!
억
부웅

!!

결국
이렇게
되는구나.
아!

아야~!
무슨 짓이야!

거 봐.
진짜 바보
라니까.
아~
아!

시끄러,
이 바보야!
너는 아직
아무것도
모르고 있어!
뭐야?
이 고릴라…!!
변덕이 죽
끓듯 하잖아?
고릴라의 기분을
사람이 어떻게
알아!!
누가
고릴라야,
임마!

잰
노력해도
안돼.

우오오
우오오
우오오

두웅

부웅
풋내기 슛은 어려워

#20 풋내기 슛은 어려워

!!
와하하-하!

와하하하하
움냠
움냠
음냠
안되겠다, 백호야! 전혀 안 들어가잖아?
재능이 없는 거야, 넌!
시끄럿! 어서 꺼져!!
이 한가한 놈들!!
SHOHOKU BASKETBALL TEAM

어렵게 농구부원답게 된 강백호.
드리블, 패스 등의 기초 훈련을 거쳐 드디어
염원하던 슛을 하게 되긴 했으나,
슬램덩크밖에 머리에 없는 그는 그 이외의
기초적인 슛을 '풋내기 슛' 이라며
경멸하고 있었다….
그러나….
둥

꺄아~!!
우왓
와하하핫!!

왜 그래,
강백호?
뷰우우우

풋내기 슛도
못해서야
되겠냐?!
응?
안 그래?
빙글
빙글
크윽…
젠장…!!

이상하다?
왜 안 들어
가지?

거봐, 정말
꼴불견
이라니까!!
저런 앤
농구와는
전혀 어울리지
않아!
안
그러니
-?
깔
깔
깔
뭐…?!

그런 말
하는 거
아냐!!
처음부터
잘 하는 사람이
어딨어!!
서태웅 선수도
처음에는 잘하지
못했을 거야.

뭐?
서태웅
선수가
못했다구?
꺄
콰앙
앗!
왜 이래!
허튼소리 마!
이 계집애야!

정말 어쩔 수 없다니까.
스포츠가 뭔지도
모르면서 그냥 꽥꽥
소리만 지르면
되는 줄 알고
그래서
극성팬은
언제나 문제야.
괜찮니?

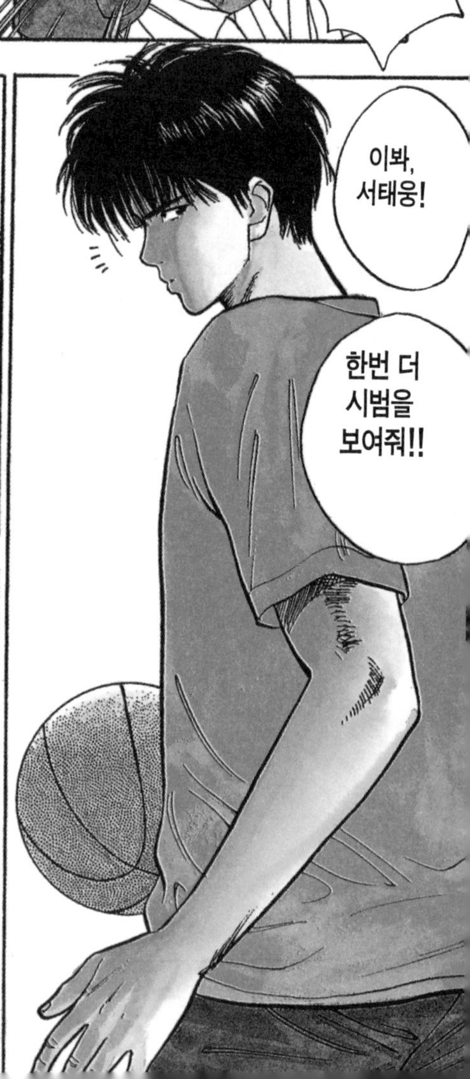
이봐,
서태웅!
한번 더
시범을
보여줘!!

꺄아악~!!
남을
탓할게
못돼….

소…
소연아….
주장,
이제 됐으니까
서태웅 시키지
말라구….

레이업 슛
(런닝 슛 · 드리블 슛)
강백호가 풋내기
슛이라 얕보는 것이
바로 이것이다.
속공 등에
자주 쓰는 슛으로
가장 성공율이 높은
기초적인 슛이라
할 수 있다.
탕

하지만 노마크의
런닝 슛을
실패하면
같은 편에게서
한숨이 나온다.
허어어어어어어
창피
해….

뽀옹

응?
엇!

손이 미끄러졌어.
임마! 너를 위해 하고 있는 거야.

……
미끄러진 거라니까요.

좋아!
이번에는 꼭…!!

헤이!!
이번엔 꼭 넣어~.
시끄러! 집중이 안되잖아!!

휴───…
으음───…
…………
이까짓
풋내기 슛을
내가
못할 리가 없어….
이번에는
반드시…!!
탕
탕

훗!!!

콰앙
드스응
꽈다앙
……
!!
와하!
쨔아!!
꼴불견-!
백호야!!
캬하하
쌤통이다.
!!

우와!
지금 것은
정말 아플 거야.
저렇게
멋지게
실패하다니
….
힘이 너무
들어갔어.

이런…!
안절부절
어째서
이까짓 슛이
안되는 거야?
안절부절
선생님.
강백호한테
충고 좀
해주세요.
채치수
주장에게
맡겨놨으니
걱정말아요.
어때?
이제 뭔가
깨달았겠지?
농구를 얕보면
그런 꼴을
당하는 거야.
음….

서태웅의 폼을 잘 봐라.
투덜 투덜 투덜
칫! 필요 없다니까.
태웅아, 한번 더 부탁하자.
또? 뭣땜에 저 얼간이를 위해서….

타앙
쳇…!

타앙
!!

엇?
또, 미끄러졌어!
……!!

아얏!!
뭐해~ 이 멍청아~!!
……

……

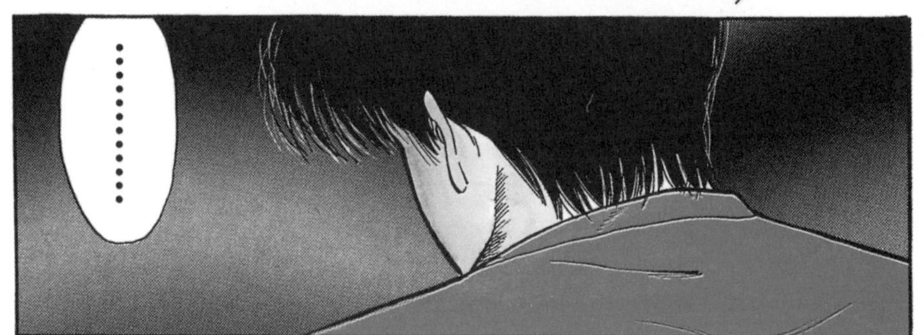
……

좋아! 지금까지는 연습이었어!
탕
탕
이번에는 진짜로!!

파
아
악
!!

이 녀석이 …!!

미끄러졌다.

...............!!

음…!!

자자!
이제 서로 비겼다! 싸우지 마!
짝짝
……!
안 그래? 두 사람…?!

알았냐, 강백호? 어깨힘을 빼고 좀 더 부드럽게 슛해야 돼.
넌 신장과 점프력이 있으니까
가볍게 볼을 놓고 온다는 기분으로 하면 되는 거야.

너무 멋있게 보이려고 노력하지 마.
멍청하긴….
으으….

그리고 남이 하는 걸 잘 보지 않으면 안돼.
태웅이의 폼은 깨끗해서 모범이 되니까 말야.
…………

야,
서태웅…!!
미안하다.
슛이 제대로
안돼서
초조했었어.

미안!!

백호야….
응?
……!!

한번 더
보여줘.
드리블
슛!

……
좋아….

멋져!
강백호!
탕
꽉

아이구! 미안해서 어쩌나! 몸 전체가 미끄러졌다!!
쿵광
쿵광
쿵광
!!
하하하! 이 바보!!
으랴~!
이것도 받아라!
......

히이익
크아...
빠삭
그만두지 못해!!
쿵쾅 쿵쾅
아프잖아!
서태웅, 너!
끼이이
푸우웅
이날 강백호는 두번 다시 슛을 하지 못했다. 바스켓맨의 길은 멀고도 험하다.

헉
헉
헉
아~ 힘들어! 이제 더 못 뛰겠어!
통
통
통
중학교땐 더 뛸 수 있었는데….
역시 옛날만큼은 몸이 안 따라주네….
통
이렇게 안 들어 갈 수가….
이상하네… 왜지..
쳇….
훗!
……
응?

안녕?
#21 바로 그 감각

소…
소연아…!

소연아!
허둥지둥
허둥지둥

놀랐어.
이렇게
일찍부터
백호
네가 연습할
줄은.
아니,
연습은
뭐….

깜짝
어제 잘 안되던
레이업 슛
연습이구나?

굉장히
열심이네,
백호는….
감탄했어!!
정말
굉장해.
하하하….
설마
이 천재 농구인이
노력같은 걸
하겠어?
그저 장난
삼아….

참! 백호는 누가 가르쳐 주는 건 싫어하지?

아냐!! 무슨!!
바스켓맨은 남의 의견을 듣는 게 중요하거든!
그렇지?

레이업이라면 나도 조금은 가르쳐 줄 수 있어.
중학교때 이것만은 잘했거든.

행복의 예감…!!
오오! 이거야말로 두 사람만의 특훈이라는 게 아닐까?

……
그럼 해볼게.
퉁
퉁

콰당
……
앗!
안돼!
……
……

좋아!
이번에는!!

응?
제발 그만둬!
아…
아냐!
괜찮아, 소연아!
그만두는 게….
날 시원찮은
여자로
보는 거지?

응!?
역시 그렇구나. 하긴 모두들 그러니까.
아냐! 그럴 리가….
하지만 걱정 마. 정말 잘 할테니까.
중학교 때 난 보잘 것 없었어.
너처럼 키가 큰 것도 아니고…
3점슛은 너무 멀고….
드리블은 금방 뺏기거나 상대편한테 패스하고….
하지만 달리는 것만은 나도 할 줄 아니까,
속공할 때 맨먼저 달리기로 작정했어.
그래서 런닝 슛만은 실수하지 않게 연습했어…. 오빠한테 배웠거든….

고릴라 한테?
응. 고릴라 오빠 한테.
아… 아니! 오라버니 한테!
너 참 대단 하더라.
우리 오빠한테 대들 수 있는 사람은 너뿐이야.

나….
그래서 아직 런닝 슛은 자신 있어.

통
탕
얍!!
팡
쏙
오오!!

들어갔어?
공장해!
와아~! 그치?
내가 잘한다고 했지?
그랬었구나. 소연이도 노력했던 거야.
찌잉…!
나도 노력해야지.
꺅 꺅 꺅

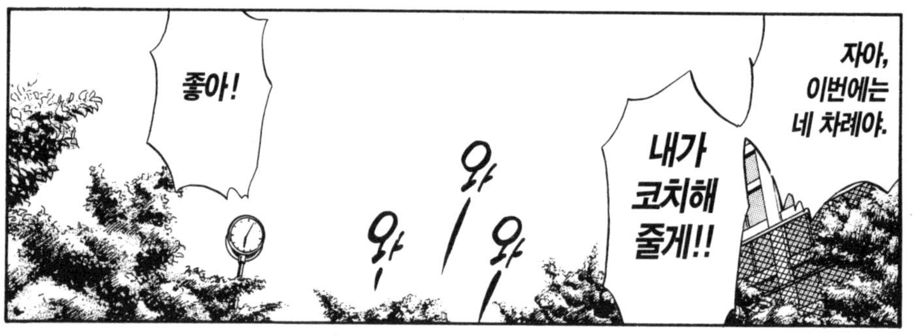
자아, 이번에는 네 차례야.
내가 코치해 줄게!!
와! 와! 와!
좋아!

쌔아
We Are The
New Power Ge
하아
하아
휘이
이이
익
We Want
To Change The

헉 헉 헉
철컹

슥…

!
퍽…

이런…
누가 먼저
왔네?
쳇

통
탕
힐끔
어렵쇼?
서걱...
파
으랴!
야

두우

아아~
으….

이상하다
….
뭐가
잘못
됐지?
왜 안 들어
가는 거야?

손놀림이
나쁜
거야….
빙글빙글

처음엔 누구나
그런 거야.
그래?
그러니까
너무 신경쓸 것
없어.

정말 상냥해
소연이는….
좋아!
꼭 해낼 거야.

폼은 그다지 이상하지 않은데.
박력도 있고….
뭐가 잘못 됐을까?

얍
……

그것만 알아낸다면 나라고 못할 거 없지.
뭔가 요령이 있을 거야.
그런데 그게 도대체….

서태웅은 좀 더 둥실하고 뛰었던 것 같아….
그러고 보니….

점프가 모자랐는지도 ….
좋아! 높이 뛰어보자.

헉
헉
?

훅
높게 뛰자… 높게 뛰자…!
응?!
그래, 좋아….
높게 뛰자!
동실
이런!
좋았어! 지금 건….
지금 건 무척 좋은 느낌이었어.

소연아! 지금 것은 높이 뛸 생각만 했기 때문에 손을 전혀….
손을 내버려두고 말았….

있잖아, 오빠.
런닝 슛의 요령을
가르쳐줘.

두고 온다.
그렇구나. 손 힘은 필요없다 이거지?
맞아…. 왠지 그럴 것 같은 느낌이 들어.

좋겠다. 높이 뛸 수 있는 사람은…
난 그런 감각 전혀 몰랐어…!!

조금 약오르는데…?

무릎을 부드럽게,
높이 뛰어서.
두고 온다.
좋아!!
중얼 중얼

해볼게, 소연아. 이번엔 틀림없어!

응!
힘내!!

무릎을 부드럽게,
높이 뛰어 올라.
두고 온다.
타앗!!

골인!!

해냈다!!

이것이
그가 처음으로
성공시킨
'풋내기 슛'
이었다.
꺄아-
야호-!
꺄아- 꺄아-
끝났거든
빨리
돌아가라.
제발....

일찍
일어나길
잘했다.

♯22 체크해야지

하하하하!!

백호 녀석, 어떻게 된 거야? 오늘 되게 기분 좋네.
글쎄…?!

야, 백호야! 왜 그래, 오늘?
너무 퇴짜를 맞아서 머리가 돌아버린 거 아냐?

용팔아! 넌 여전히 동글동글 하구나. 농구부 감독님과는 좋은 콤비가 될 것 같은데?
읍!!

이거 봐!
다이어트 좀 해, 다이어트!

이게 열여섯 살짜리의 배냐?
엉?
이 똥배 좀 봐!
용팔아. 응?

운동을 해라, 운동을!!
너희들…, 운동은 좋은 거야.

재 도대체 오늘 왜 저래…?
하하…. 왜 그러니?
야, 호열아! 백호, 무슨 일 있었나? 되게 기분 좋은데 그래?

응…. 그럴 일이 있어….

뭐?
소연이하고
아침
연습을?!
단
둘이서?!

아아!
기분
좋다.
?
?
백호야.
대체…?

하하…!
엇!
너, 소연이
친구지?
응…!
송희라고 해.
송희라구?!
예쁜 이름
인데…?

단순함의
극치야.
저 녀석은….
으-음
하지만
그런 우연만으로
저렇게까지
행복해지는
녀석도
흔치 않아.
단순왕이야!

어느 사이에
소연이랑
그런
사이까지….
하지만 가만히
생각해 보면
단순한
우연일 거야.
그래 맞아.
몇번 만난 걸
가지고
진전됐다고는
할 수 없지.
진전될
리가 없지.
절대….

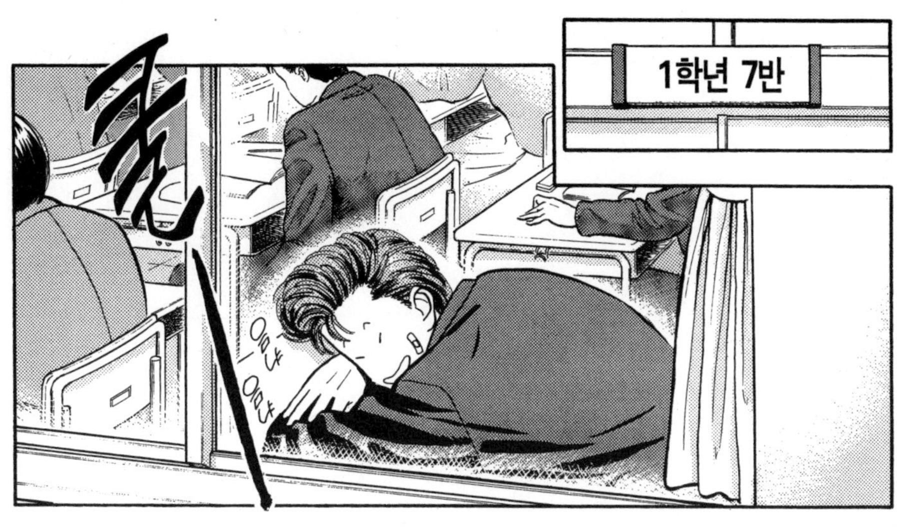
1학년 7반
쿵
음냐 음냐

이 녀석!
이 녀석도 버젓이 자고 있어!!
내 수업이 그렇게 재미없나?
음굴굴

소연아, 냠냠~
드르렁 드르렁

맞아. 말 그대로 단순왕이야.
나도 졸리네~

소연아-!
음….
채소연-!
쭈뼛
쭈뼛

선생님! 서태웅이 또 자고 있습니다.
내버려둬.
굴 굴 굴

자,
간다-
소연아!!
응!!
백호야,
힘내!!

무릎을
부드럽게
하고,
몸전체로
뛰어서…
두고 온다…!!

두고 온다!!

이얍!!

백호야,
볼! 볼!!

엉?
?

냐옹~.

왓!

사뿐

!!
쿵
쾅

우당탕
와앙
휘익
백호야!!

팟
뭐야…
? ?
이 정도 가지고 뭘…!
…………
…………
어슬렁어슬
렁 어슬렁…
백호야, 괜찮아?!
!!

괜찮아?

벌떡
으아악!!

뭐…
뭐야?

헉 헉
헉 헉
헉 헉
……………

이 녀석이 …!!
……………
웅성
웅성
헉 헉
헉 헉

불…
불길해.
헉! 헉!
헉 헉
헉

수업 끝….

얼간아!!

?
읍…!

헤헤…
역시.
그렇게
생각
해요?

아냐.
그만하면
대단한
발전이다.
이제 겨우
배우기
시작했는데
말야.

엉…?

못 봐주겠군.
레이업 슛이
한번쯤
들어갔다고 해서
그렇게까지 들뜨면
어떻게 해!!

멍청아! 슛은 반복 연습이 가장 중요한 거야.
들떠있을 시간 있거든 연습이나 해!
칫!
하지만 이렇게 성장이 빠른 녀석은 처음 봤다.
지금의 페이스로 분발해라, 백호야.
역시.
북산 농구부의 명물인 당근과 채찍이야.
과연.
칫!
역시.

어쨌든 알았나?
능남고와의 연습시합이 일주일 남았다!!

능남…!
그렇지…!!
웅성
웅성
작년의 도내 4강!
웅성
불끈!
시합이다!

새로 조직된 우리팀의 실력을 테스트 받을 수 있는 최초의 시합이다!!
이 시합에 이겨서 예선 대회에서도 거침없이 이겨나가는 거다!!
단단히 각오해둬!

우와~
네엣!!

자아~ 드디어 시합이다!
두근
두근
내 실력을 발휘할 때가 왔다!
두근
자아, 그럼 간다~!
북산-
파이팅!
북산!
우오~

奈川県立湘北高等学校
북산고….
부원 13명….

작년 성적은
어느 대회에서도
좋은 성적을
거두지 못했다.
그러나 금년에는
수퍼 루키라
불려지는 서태웅이
가세해 왔다.
비밀 노트
Campus

사전에 체크해
둬야지.

저어 누님,
좀 묻겠는데요?
농구부 체육관이
어디죠?
고마워요.

…………

저
누님도
체크해야지
….

좋았어.
제법 들어가게 됐는걸. 레이업 슛!
셋 중 하나는 들아간다.

후후…. 이게 바로 천재에게 따라다니는 남모르는 노력이라는 거구나….
이 천재 강백호가 사실은 모두가 돌아간 뒤에 혼자 남아서 연습하고 있다고는 생각않겠지…? 후후. 두고 봐라, 태웅이 녀석!

소연이가 이걸 보면 뭐랄까?
아니…. 남이 알면 남모르는 노력이 아니지….

소연아….

그래…!
고릴라도 없겠다….

덩크를 해볼까!

척

좋았어!
헤헤~.
멋지게
한방….
탕
탕양양.

오오!
드리블
소리가….
저기구나!
역시 이렇게
늦게까지.
탕
탕
감탄했어.
역시
북산고야.
탕

우린
능남고의
첫상대답다.
사전 체크
시작!!

우왓!!

2 SLAM DUNK (完)

슬램덩크 완전판 프리미엄 2

2007년 9월 23일 1판 1쇄 발행 2023년 2월 14일 2판 3쇄 발행

•

저자 ······ TAKEHIKO INOUE

•

발행인 : 황민호
콘텐츠1사업본부장 : 이봉석
책임편집 : 김정택/장숙희
발행처 : 대원씨아이(주)

•

서울특별시 용산구 한강대로 15길 9-12
전화 : 2071-2000 FAX : 797-1023
1992년 5월 11일 등록 제 1992-000026호

•

©1990-2022 by Takehiko Inoue and I.T.Planning, Inc.

•

ISBN 979-11-6944-795-9 07830
ISBN 979-11-6944-793-5 (세트)

•

• 이 작품은 저작권법에 의해 보호를 받으며 본사의 허가 없이
복제 및 스캔 등을 이용한 온, 오프라인의 무단 전재 및 유포·공유의 행위를 할 경우
그에 상응하는 법적 제재를 받게 됨을 알려드립니다.
• 잘못 만들어진 책은 구입하신 곳에서 바꾸어 드립니다.
• 문의 : 영업 02-2071-2075 / 편집 02-2071-2116

SLAM
슬램덩크 완전판 프리미엄
DUNK

SLAM
슬램덩크 완전판 프리미엄
DUNK

SHR
11